LE TUNNEL

Brian Wildsmith

Oxford University Press

Un beau jour, une petite taupe française, appelée Pierre, reçut une lettre de son cousin Marcus qui vivait en Angleterre, disant qu'il aimerait venir en France.

One day a little French mole called Pierre got a letter from his cousin Marcus who lived in England, saying he would like to come to France.

Pierre répondit à Marcus:
– Si nous construisions un tunnel, nous pourrions nous rencontrer à mi-chemin.

Pierre wrote a letter back to Marcus. 'Why don't we dig a tunnel,' he suggested. 'Then we can meet half-way.'

Pierre commença à faire des plans pour creuser sa partie du tunnel.

Pierre began to work out how to dig his part of the tunnel.

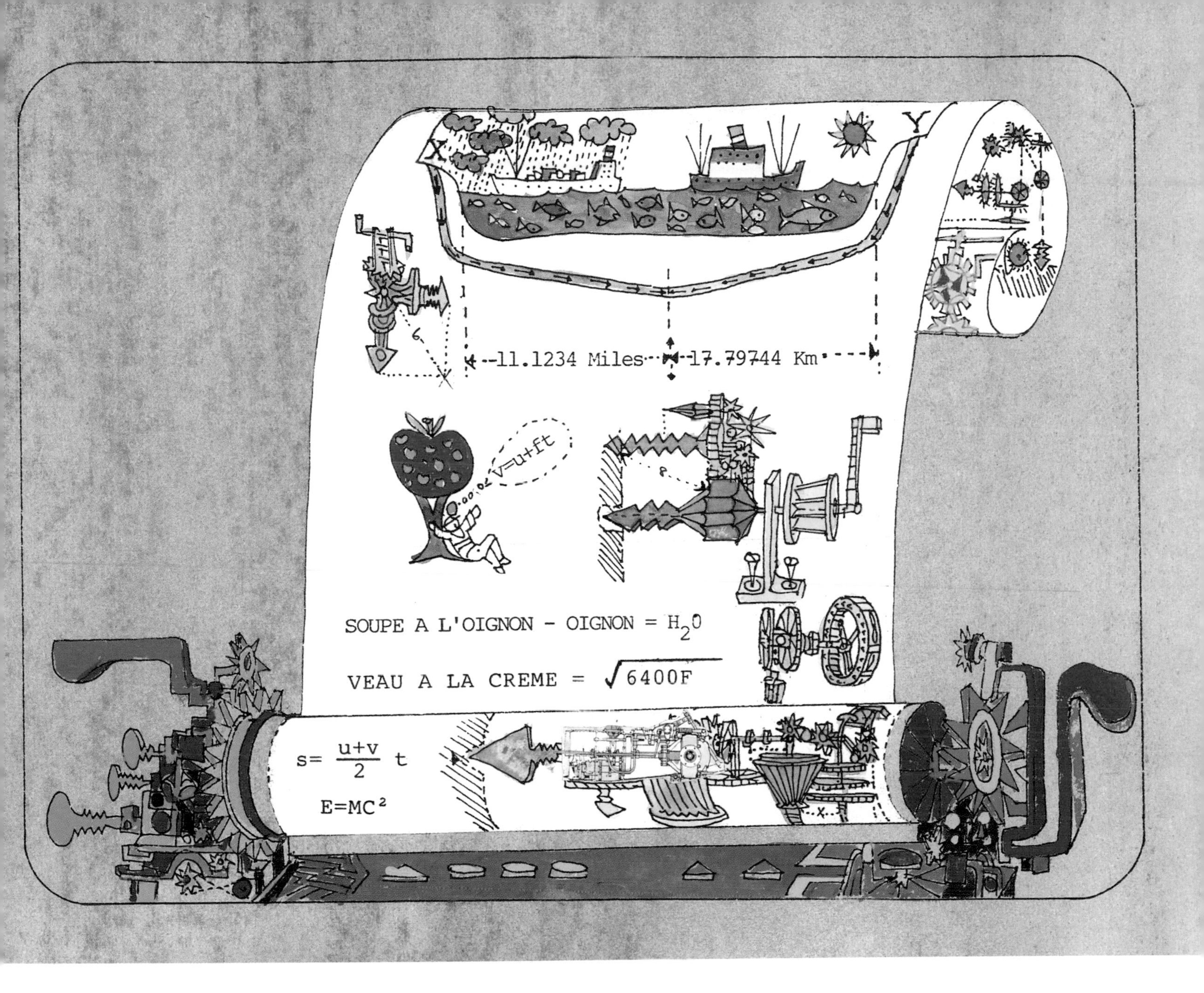

Il imprima ses calculs, les glissa dans une bouteille et les envoya à Marcus.

He printed out his calculations, put them in a bottle, and sent them to Marcus.

Pierre parla du tunnel à tous ses amis.
– Tes calculs ne marcheront pas, dit le Rat-Bureaucrate.
Et, de toute façon, tu ne peux pas creuser ici !

Pierre told all his friends about the tunnel.
'Your calculations won't work,' said Bureau-rat. 'And anyway, you can't dig here.'

Pierre commença à creuser.
– N'oublie pas d'emporter ton pain et ton fromage! lui crièrent ses amis.
–Tu auras des ennuis là-dessous! marmonna le Rat-Bureaucrate.

Pierre started to dig. 'Don't forget your bread and cheese,' cried his friends. 'You will meet trouble down there,' Bureau-rat murmured.

– Je peux creuser où cela me plaît ! répondit Pierre.
–Alors, avant d'aller plus loin, tu dois remplir tous ces documents ! dit le Rat-Bureaucrate.

'I can dig where I like,' said Pierre.
'Well, you must fill in all these forms before you go any further,' said Bureau-rat.

Pierre creusa jusqu'à ce qu'il arrive sous la Manche.
–Arrête! Arrête! crièrent poissons, crabes et homards.
Tu fais trop de bruit!

Pierre went on digging until he was under the Channel.
'Stop! Stop!' cried the fishes, the crabs, and the lobsters.
'You're making too much noise.'

En creusant plus avant, Pierre heurta un rocher très dur.
– Je t'avais bien dit que tu aurais des ennuis! hurla le Rat-Bureaucrate.
Pierre chercha sa machine à broyer les rochers, et força le passage.

As he dug further, Pierre hit some very hard rock.
'I said you'd meet trouble,' yelled Bureau-rat. Pierre brought
in his rock grinder and smashed his way through.

Tout à coup, Pierre rencontra les monstres qui vivent sous le lit de la mer.
– Arrière! hurlèrent-ils. Nous sommes ici chez nous!

Suddenly Pierre met the monsters who live under the seabed.
'Go back!' they yelled. 'This is our home!'

Mais les rochers devinrent encore plus durs. Pierre décida de déjeuner. Après son déjeuner, il chercha son broyeur à laser, et pulvérisa les rochers.

But the rock became even harder. Pierre decided to have lunch. After lunch he brought in his laser smasher and blasted his way through.

Pierre refusa de rebrousser chemin. Mais les monstres se couchèrent devant lui pour l'empêcher de passer.

Pierre refused to go back. But the monsters lay down in front of him so that he couldn't get past.

– Je vous propose une partie de pétanque, dit Pierre. Si je gagne, vous me laisserez passer.
Les monstres acceptèrent. Pierre lança sa boule tout près du cochonnet et gagna son pari!

'I challenge you to a game of boules,' said Pierre. 'If I win, then you let me through.'
The monsters agreed. Pierre threw his boule nearest to the jack and won!

Il creusa un peu plus loin et, soudain, voilà Marcus. Si vous voulez savoir ce qui arriva ensuite, tournez la roue. Et si vous voulez savoir ce que Marcus a fait, fermez le livre et tournez-le dans l'autre sens . . .

He dug a little further and suddenly there was Marcus. If you want to know what happens next, then turn the wheel. And if you want to know what Marcus did, close the book, then turn it round.

He dug a little further and suddenly there was Pierre. If you want to know what happens next, then turn the wheel. And if you want to know what Pierre did, close the book, and turn it round.

Il creusa un peu plus loin et, soudain, voilà Pierre. Si vous voulez savoir ce qui arriva ensuite, tournez la roue. Et si vous voulez savoir ce que Pierre a fait, fermez le livre et tournez-le dans l'autre sens . . .

'I don't have any money,' said Marcus, 'but I challenge you to a game of darts. If I win, then you let me through.' They agreed. Marcus scored a bulls eye and won!

– Je n'ai pas d'argent, dit Marcus, mais je vous propose une partie de fléchettes. Si je gagne, vous me laisserez passer!
Ils acceptèrent. Marcus tira en plein dans le mille et gagna son pari!

Marcus went on digging but suddenly he met the monsters who live under the seabed. 'This is our home,' they said. 'If you want to go on, you will have to pay us.'

Marcus continua à creuser, mais soudain il rencontra les monstres qui vivent sous le lit de la mer.
– Nous sommes ici chez nous! dirent-ils. Si tu veux continuer, il faudra nous payer.

The mechanical tunnel digger was very powerful. But Techno-rat didn't like it. 'You're making too much noise down there!' he shouted.

La pelleteuse était très puissante. Mais le Rat-Technocrate ne l'aimait pas.
– Tu fais trop de bruit là-dessous! hurla-t-il à Marcus.

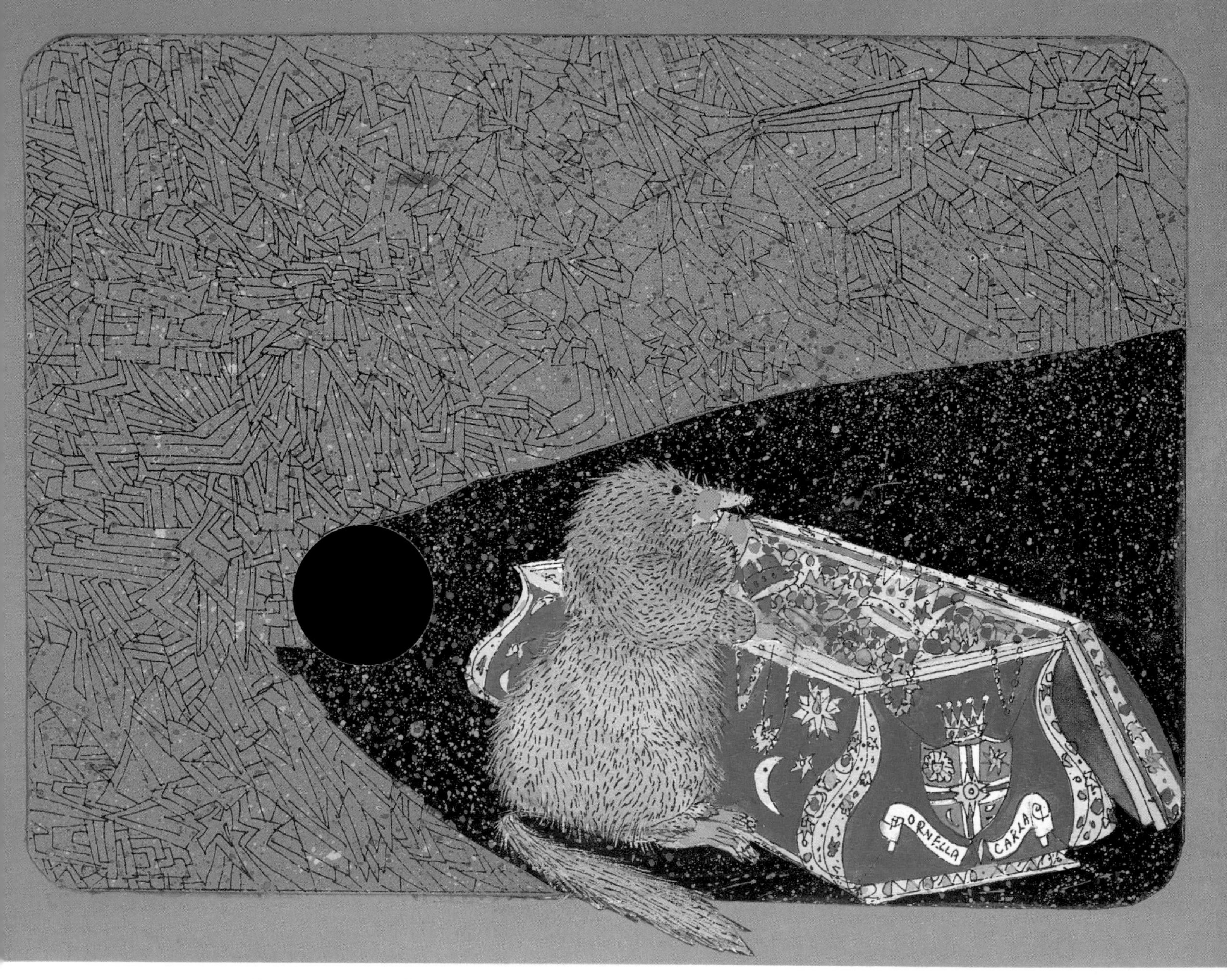

Marcus dug deeper but he was getting very tired. Then all of sudden he discovered buried treasure. 'That's lucky!' he cried. 'Now I can buy myself a mechanical tunnel digger.'

Marcus creusa plus en profondeur, mais c'était très fatigant. Tout à coup, il découvrit un trésor enfoui dans le sable.
– Quelle chance! s'écria-t-il. Je vais pouvoir m'acheter une pelleteuse!

After Marcus had been digging for a few miles, water began to drip into the tunnel. 'Stop! Stop!' cried the fishes, the crabs, and the lobsters. 'All our water will leak away.'

Lorsque Marcus eut creusé quelques kilomètres, l'eau commença à goutter dans le tunnel.
– Arrête! Arrête! crièrent poissons, crabes et homards. Toute notre eau va fuir!

But the badgers said, 'This tunnel is a wonderful idea. We can all go to France when it's finished. Go on, Marcus – dig!'

Mais les blaireaux déclarèrent:
– Ce tunnel est une idée merveilleuse ! Nous pourrons tous aller en France quand il sera terminé. Vas-y, Marcus ! Creuse !

Marcus sent his calculations to Pierre, and then he started to dig.
'You can't dig here,' said the owls and the rabbits.
'This will not work,' said Techno-rat.

Marcus envoya ses calculs à Pierre, puis se mit à creuser.
– Tu ne peux pas creuser ici! dirent les chouettes et les lapins.
– Cela ne marchera pas! affirma le Rat-Technocrate.

He went out to do a survey. Techno-rat came along and looked at the calculations but he didn't understand them. 'These are no use,' he said.

Il sortit afin d'étudier le terrain. Le Rat-Technocrate vint avec lui et examina ses calculs , mais il ne les comprit pas.
– Ils ne servent à rien! déclara-t-il.

Next day Marcus began to work out how to dig his part of the tunnel.

Le jour suivant, Marcus commença à faire des plans pour creuser sa partie du tunnel.

Marcus was very pleased to read Pierre's reply.

Marcus fut très content de lire la réponse de Pierre.

Some time later, Marcus got a reply from Pierre. It arrived floating in another bottle.

Quelque temps plus tard, Marcus reçut une réponse de Pierre. Elle arriva, flottant dans une autre bouteille.

Marcus put the letter in a bottle, threw it into the English Channel, and watched it float across to France.

Marcus glissa la lettre dans une bouteille, jeta la bouteille dans la Manche et la regarda flotter en direction de la France.

One day a little English mole called Marcus wrote a letter to his cousin Pierre who lived in France.

Un beau jour, une petite taupe anglaise, appelée Marcus, écrivit une lettre à son cousin Pierre, qui vivait en France.

THE
TUNNEL
Brian Wildsmith
Oxford University Press

Oxford University Press, Walton Street, Oxford OX2 6DP

Oxford New York Toronto
Delhi Bombay Calcutta Madras Karachi
Kuala Lumpur Singapore Hong Kong Tokyo
Nairobi Dar es Salaam Cape Town
Melbourne Auckland Madrid

and associated companies in
Berlin Ibadan

First published 1993

Reprinted 1993, 1994

First published in paperback 1994

Reprinted 1995

Translated by Anne-Marie Dálmais

A CIP catalogue record for this book available
from the British Library

ISBN 0 19 279962 2 (hardback)
ISBN 0 19 272288 3 (paperback)

on acid-free paper

THE
TUNNEL
Brian Wildsmith
With freshly dug
mole hole